Needlework Workshop 手绣坊 ⑤

P9-ECB-720

饰品十字绣

Decorations
Stitch Show

南海出版公司

十字绣不仅

是一种很好的表达心意的方

式，现在，它已经从初级的纪念性

点缀阶段发展到无处不在的蔓延阶段。

镜子、钥匙扣、台灯罩……可以用一个

"凡是"来总结——凡是有空间的地方就可

以绣东西。

本书收录了81款新颖的十字绣饰品的彩色

图案，包括香包、香袋、手机带、手机吊饰、

钥匙扣，且附有图稿，说明其详细做法，并

清晰地标示了制作技法，教您用自己的双

手实现对美的追求，增添新的生活情趣。

无论其装扮是俏皮可爱还是落落大

方，都隐隐传递着温馨的气息。

CONTENTS
目录

在古罗马，人们将"十字绣"艺术称之为"以绣针绘画"，数百年来，十字绣带给人们的是愉悦，随着社会的发展，十字绣以顺应时尚潮流之势风靡大陆，这些贴身的小饰品，更是如今时尚女士的新宠。

可爱狗狗

一身粉色的长毛，
一双水汪汪的大眼睛，这
就是可爱的它——
一只活泼的小幼犬。

● "可爱狗狗" 制作图见本书第65页

漂亮马

小马累了，要找
个地方歇歇，咦！这
里很好噢，绿绿的青草，
红红的花朵，现在是
我的天地了！

● "漂亮马" 制作图见
本书第66页

卡通蛇

● "卡通蛇"制作图见本书第67页

卡通版的紫色小蛇一点也不让人觉得可怕，反而觉
得可爱有趣，女性化的装扮给人一种温柔的感觉。

小火龙

● "小火龙"制作图见本书第68页

蓝色的小火龙，吐出鲜艳的红色火苗，
显得生动有趣。

交警

小交警扮相搞笑，却装着一副严肃认真的神情，忙得不亦乐乎，吹着口哨，摆着标准的手势，正认真地指挥着来往车辆。

● "交警"制作图见本书第69页

帅帅虎

小老虎一身黄黑相间的花纹，睁大着眼睛，可是一点都不吓人，你看它绅士般地坐在岩石上，正满足地捧着肚子。

● "帅帅虎"制作图见本书第70页

猪娃娃

小粉嘟嘟的猪
猪规规矩矩地坐在
草地上，可爱地笑着，
像是一个害羞的小孩惹
人怜爱。

● "猪娃娃"制作图见
本书第71页

小和尚

光头小和尚
虔诚地合着双手，
仿佛念念有词："南
无阿弥陀佛……"

● "小和尚"制作图见
本书第72页

♥小牛

温顺的牛永远给人一种安静的感觉，它把时间定格在它的喃喃低语里，留在稳重塌实的脚步中，伴歌绿草、伴舞夕阳！写实地把力量还给土地。

● "小牛"制作图见本书第73页

♥天使

小天使背着一双洁白的翅膀，在星星点点的天空中播撒下幸福的种子，为人类默默祈福。

● "天使"制作图见本书第73页

美丽的吻

● "美丽的吻"制作图见本书第74页

　　美丽的爱情带来了甜蜜的吻，初恋的温暖幸福
让人思念到如今。

婚礼

● "婚礼"图见本书第74页

笑靥如花的新娘，穿着如梦一般飘柔高雅的
白色婚纱，与新郎沐浴在阳光下，携手举行世人瞩目的
婚礼，礼花布满整个天空。

拔萝卜

● "拔萝卜"制作图见本书第75页

还记得小时候听过的那个小白兔拔萝卜的
故事吗？现在，淘气可爱的小白兔已经把大萝卜拔出
来了，看——它正胜利地笑着呢！

绵羊

● "绵羊"制作图见本书第76页

小绵羊身上蓝色的毛像云朵一样柔软，弯弯的犄角也显示着自己可爱的一面。

小狗

● "小狗"制作图见本书第76页

一双水汪汪的大眼睛正望着你,仿佛在说:
"主人,来歇会儿吧!"

欢乐天使

可爱的小天使
宝宝，开心地吹着
小喇叭，跳跃的音符
好像在说："我要快
快长大！"

● "欢乐天使"制作图见本书第77页

幸福的婚礼

缘分是前世情感
的延续，缘分是此生
轮回不变的誓言，缘分是
你我曾说过的幸福约定，缘
分是再生时还能相遇的美好梦
想。相识是缘起，相知是缘续，
相守是缘定。是缘使我们走到
了一起！希望我们能一直走
下去，从缘起到缘续，从
缘续到缘定……

● "幸福的婚礼"制作图见本书第78页

粉红女郎

爱美是女人的天性。你看粉红姐姐，她正饶有兴趣地对镜扑粉呢，一头粉红的卷发散发着迷人的魅力，看着自己靓丽的装束，她自信地笑了。

● "粉红女郎"制作图见本书第79页

天使(男孩)

戴着蓝色的小圣诞帽，在世间播撒美好的祝福和快乐。

● "天使(男孩)"制作图见本书第80页

惊喜

● "惊喜"制作图见本书第81页

其实你每一次把花藏在背后，我都知道！
因为它的香气提前传达了你的心意。不过，我乐于享
受你诸如此类的"惊喜"——这时的你，最可爱，像个
小孩。

第一个吻

● "第一个吻"制作图见本书第81页

你说你的心已经千疮百孔，再也不愿意承
受另一次打击，可是请你相信我，我会用真心呵护
你！保护你，不再让你受到任何伤害。破碎了的心，时
间和我是最好的证明。

祝愿

● "祝愿"制作图见本书第82页

愿天下有情人终成眷
属！愿世界充满阳光和友爱！
愿所有人都平安快乐！

享受每一天

● "享受每一天"制作图见本书第82页

热爱每一天
享受每一天
生活的点点滴滴
在有意无意间
触动心里那根弦
奏出华美的乐章
美妙如同天籁

中意他

● "中意他"制作图见本书第83页

每次约会
心中总会有火花
幻想一个家
为他生一个胖娃娃

13 小猪

● "小猪"制作图见本书第84～85页

妙趣横生的卡通小猪图案，让人倍觉可爱而富有童趣。

求爱

● "求爱"制作图见本书第88～89页

送你一朵玫瑰花，我真心地谢谢你，虽然
你并没有沉鱼落雁之美，我却深深地爱上你。

快乐

时尚的卡通公仔也成了十字绣图上不可缺少的一道美丽风景，看！它们正驾着小车开怀大笑呢！

● "快乐"制作图见本书第86～87页

卡通公仔

时尚前卫的小人物也非常招人喜爱，作为手机链上的点缀，更是精致可爱。

● "卡通公仔"图见本书第90～91页

♥ Kitty

全身充满着可爱
气息的KITTY，最
具吸引力的是它左耳上
戴着的红色蝴蝶结和它
那圆圆的小尾巴。

● "Kitty" 制作图见本书第92页

♥ 小鸡

它正晃动着淡
黄色的圆滚滚的身
躯，拍动着小翅膀，
张着金黄的嘴巴，仿佛
在追寻着什么。

● "小鸡" 制作图见本书第92页

◖◖ 鹿

粉红色花纹的小鹿，看起来可爱而驯良，一双温柔的眼睛睁得大大的，望着远方！这样的小饰品陪伴你，将会给你带来安静平和的感觉。

● "鹿"制作图见本书第93页

◖◖ 小蜜蜂

传粉，为了花儿开得更美！酿蜜，为了积淀更多甜蜜！辛勤的小蜜蜂，是世间传递幸福和美丽的小生灵。

● "小蜜蜂"制作图见本书第93页

小乌龟

蓝色的身躯，柠檬黄的小甲衣，红色的眼睛，这样的搭配漂亮大方而又不失可爱。

● "小乌龟"制作图见本书第94页

甲壳虫

身着红底黑点的花衣，像是在炫耀着自己的美丽，而正是那绚丽的色彩，在拟态中迷惑着众人的目光。

● "甲壳虫"图见本书第94页

小姑娘(1)

可爱的小女孩
留着乌黑的短发,
头发上的粉色小花映衬
着她清澈的笑脸,眼睛
都笑成了一弯月牙儿。

● "小姑娘(1)"制作图见本书第95页

小姑娘(2)

时尚的柠檬色
头发,明快的色调
让这个可爱的小姑娘
倍增生气、活力。

● "小姑娘(2)"制作图见本书第96页

流氓兔（1）

● "流氓兔（1）"制作图见本书第95页

韩国姓名：mashimaro
中国姓名：流氓兔、霸王兔、坏坏兔、猎奇兔
国籍：韩国
生日：1999年5月8日
星座：金牛座
最爱吃的食物：胡萝卜
最大的特点：贪吃、顽皮、不爱卫生
绝技：正面是兔子，反面是狗头。哦，对了，流氓兔的原名就叫
mashimaro，（玛西玛洛）。

流氓兔(2)

流氓兔的模样特别可爱：雪白的皮毛，圆滚滚的身体，眯眯的眼睛，竖直的耳朵，还有超级敏捷的四肢。虽然看上去外表呆呆的，其实它聪明得很，在动画片中，它的表演尤其精彩。流氓兔诞生在网络上，凭借网络动画纵横四海。

● "流氓兔(2)"制作图见本书第97页

猪

粉黄色的小猪吊饰，可爱有趣。"猪！你的鼻子有两个孔，感冒时的你还挂着鼻涕牛牛，猪！你有着黑漆漆的眼，望呀望呀望也看不到边，猪！你的耳朵是那么大，呼扇呼扇也听不到我在骂你傻；猪！你的尾巴是卷又卷，原来跑跑跳跳还离不开它……"

● "猪"制作图见本书第97页

兔子(1)

小白兔乖乖的笑容，不由让人想起儿时的故事："小兔子乖乖，把门开开，快点开开，我要进来！"

● "兔子(1)"制作图见本书第96页

兔子(2)

这只粉色小兔双面绣做成的小吊饰，挂在手机、钥匙链和小包包上，显得格外可爱有趣，大显卡通一族的独特品位。

● "兔子(2)"制作图见本书第96页

白头到老

● "白头到老"制作图见本书第98~99页

爱情是一种妙不可言的东西,可以说爱情中没有什么规则可遵守,但其中必定
有一些人人合用的秘诀。牢记这些秘诀,必能与你的最爱白头到老。

韩国娃娃

简单的造型让
它们的神态举止
单纯可爱。

● "韩国娃娃"制作图见
本书第100~101页

小羊

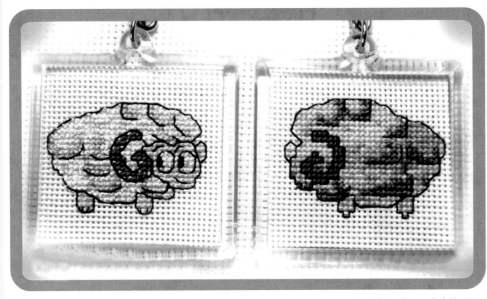

● "小羊"制作图见本书第102页

它儒雅温和，温柔多情，自古便是中国先民朝夕相处的好伙伴，深受人们喜爱、崇敬。中国先民以"羊"喻"阳"，而"三羊开泰"实为新年伊始、冬去春来、阴消阳长、大吉大利之意。

小猴

● "小猴"制作图见本书第103页

小猴子神态可掬地坐在地上，睁大着调皮的眼睛特逗人爱。猴年出生的人一般热爱生活，精力充沛，对新的世界充满好奇，敢于冒险，喜欢刺激，在他们眼中总是有新发现。他们开朗乐观，幽默风趣，但活泼有余，严肃不足，他们不受管束，无忧无虑，最喜欢过自由自在的生活。

金牛

● "金牛"制作图见本书第103～104页

此星座的人具有从容不迫的性格，不轻易尝试冒险性的活动，即便绕远路，也会选择一条安全的路线。在行动之前，每每会花费许多工夫去策划考虑，并预先做好可能发生的危险之应急措施后，才展开行动，一步步慢慢走。因此，他决定某件事情，或是付诸行动都十分迟缓，别人一天就可决定的事情，他可能考虑很久后，仍迟迟无法抉择，而且即使他好不容易做好决定了，付诸行动时，仍然会犹豫重重。

💟双鱼

● "双鱼"制作图见本书第105～106页

双鱼座是古老轮回的结束，这种古老轮回后的灵魂，是一种
透彻。也许正因如此，双鱼座的人总深陷在灵与欲之间，退缩在一种自创的梦
幻之境里。他们爱做梦，也无时不在幻想，并常将这种情结搬到现实环境中，因而显得
有些不切实际。但他们善良，有绝对舍己助人的奉献牺牲精神；是敏感、仁慈、和善、宽
厚、温柔、与世无争、多愁善感的纯情主义者，也是十二星座中最"多情"的一个。

童年畅想

那些清纯的往事，
在记忆的长河里伴随
着成长的烦恼，已沉淀
为每一个人埋在心底
最深的感动。

● "童年畅想" 制作图见本书第106页

第一次约会

在不知不觉
中，已悄然被你
的风趣和机智所吸
引，曾经平凡苍白的
日子开始变得五彩斑
斓，曾经从容淡定
的心也泛起了甜
蜜的涟漪。

● "第一约会" 制作图见本书第107页

甜蜜

你是我生命里最
大的奇迹，今生有你
相伴是我最大的心愿，
请允许我用最俗的三个字
——"我爱你"，来表达
我最深沉的眷恋。

● "甜蜜"制作图见本书第107页

幻想

邂逅浪漫，于
是有了望穿秋水的
等待和黯然销魂的思
念，终于明白：原来一
切可以如此绚烂，原
来一切可以如此纯
美！

● "幻想"制作图见本书第108页

雨中情

驻足雨中，闭上双眼，去聆听雨的声音，感受雨的气息，张开双臂尽情去拥抱这场雨！雨细碎的脚步声把我们的梦境踏得幽远，让思绪无限飞扬……无论是晴天还是雨天，我都想与你共同撑起一片天。

● "雨中情"制作图见本书第108页

牛

一生平稳，工作条理分明，对家庭尽责，对事业努力上进，但有时顽固保守。

● "牛"制作图见本书第109页

虎(1)

百兽之王，独
立、自尊心极强，
遇有阻力时能当机立
断，但做事稍嫌急
进、鲁莽。

● "虎(1)" 制作图见本书第109页

龙(1)

聪明，意志坚强，
勇敢果断，对人忠实
慷慨，甚得人缘，但稍
缺忍耐力。

● "龙(1)" 制作图见本书第110页

╠╣ 蛇(1)

浪漫、幽默、智慧，判断力强。

● "蛇"制作图见本书第110页

 马

亲切，活泼
开朗，乐于助人。
交游广阔，人缘佳，
善理财，敢做敢当，
有领导才能。

● "马"制作图见本书第111页

羊

高贵迷人，温顺善良，能吃苦耐劳，聪明多智。属羊的人重视家庭，凡事顾虑周全，但需加强责任感、主动性和创造力。

● "羊"制作图见本书第112页

猴(1)

智慧，见闻广博，是圆滑精明的外交家。才华与财富，两者均能兼得，在事业上有出色的表现。

● "猴(1)"制作图见本书第113页

鸡

● "鸡"制作图见本书第114页

潇洒率直，有先见之明，不轻信别人，乐意向他人提供意见，爱护家庭，善理财，但凡事须谨慎处理。

龙(2)

在中国龙文化中，龙不仅被视为一种通天的神兽，而且还被视为一种吉祥瑞兽。悠悠上下五千年，中华民族一向以"龙的传人"引以为豪。"龙的传人"就是从十二生肖文化中"辰龙"之意创新升华而来的。

● "龙(2)"制作图见本书第127页

兔

兔年生的人为人乐观、快活，不愿过拘束的生活，为追求理想而不断前进，但因实践能力弱，故事多不成；若有新流行，便走在尖端，不过其防卫观念也非常敏锐。

● "兔"制作图见本书第127页

虎(2)

虎年生的人富于正义感，讲道理，男性外刚而内柔，女性则外柔而内刚，组织力强，富于发明，有革命性的开拓精神，热心公益，就女性而言，是个不让须眉者。

● "虎(2)"制作图见本书第128页

猴(2)

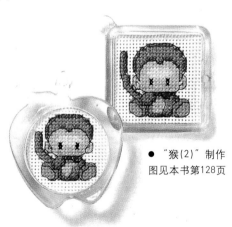

猴年生的人幽默、机智、活泼，所以很多方面的才能常超越一般人，人缘好但重名利、独占欲强，处事敏捷，自信心强，手脚灵活，善于模仿，开放，性格宽厚。

● "猴(2)"制作图见本书第128页

● "蛇(2)"制作图见本书第128页

蛇(2)

蛇年生的人具有周密的思考力，立定志愿后必勇往直前，表面虽坦诚其实有些神经质，猜疑心强，智能高，具有较强的审美感，是个艺术天才。

射手座

● "射手座"制作图见本书第115页

理性、勇敢、细心、活泼、热心，自尊心强。

双鱼座

PISCES
2.20-3.20

● "双鱼座"制作图见本书第116页

自觉,理解力强,追求唯美的柏拉图式爱情,
富于幻想,有奉献牺牲精神。

狮子座

LEO
7.24-8.23

● "狮子座"制作图见本书第117页

慈善，权力欲、自尊心强，爱思考，对人忠诚。

水瓶座

AQUARIUS
1.21~2.19

● "水瓶座"制作图见本书第118页

具独创力、宽容、友爱、慈善、独立，有理想，有先见之明。

天秤座

● "天秤座"制作图见本书第119页

　　理想主义者，为人公正，社交能力强，有独特
的审美观和魅力。

摩羯座

● "魔羯座"制作图见本书第120页

优越感强，聪明、实际、可靠，有野心，心
胸开阔。

白羊座

● "白羊座"制作图见本书第121页

充满希望、和蔼可亲、精力充沛、待人坦诚。

双子座

● "双子座"制作图见本书第122页

多重性格，洞察力强，反应机智，演技佳，
为人宽容。

巨蟹座

● "巨蟹座"制作图见本书第123页

第六感强，喜凭主观办事，反应能力强，做事慎重、执着，想象力丰富，重感情。

天蝎座

SCORPIO
10.24—11.22

● "天蝎座"制作图见本书第124页

独立，喜凭直觉办事，做事有规律，具奉献
精神，观察力强，性格温柔，有独特的魅力。

⚘ 处女座

● "处女座" 制作图见本书第124页

做事一板一眼，有较强的鉴赏力，是个完美
主义者，为人谦虚，头脑清醒。

♥ 金牛座

● "金牛座"制作图见本书第125页

浪漫、勤勉、灵巧、热心，忍耐力、决断能力强，爱思考。

印第安

印第安族的小男孩和小女孩给人一种浓厚的野性感，朴质大方而又可爱，卡通图案更加夸张了这一特征，作为小吊饰的图案，显得活泼而有趣。

● "印第安"制作图见本书第125页

新郎新娘

你是世上最强的磁石，当我走近你的磁场，已没有逃脱的可能，我已被你完全俘虏，注定此生为你沉醉。我不愿离开！今生我注定和你相遇、相爱、相知、相许。只要在一起，什么苦我都愿意！今生我注定和你相遇、相恋、相守、相依，拥有你，我就觉得充满勇气，只想永远爱着你！

● "新郎新娘"制作图见本书第126页

爱

爱是神奇的,
它使得数学法则失去
了平衡——两个人分担
痛苦,只有半个痛苦;两
个人共享一个幸福,却可获
加倍的幸福。

● "爱"制作图见本书第126页

贝贝

爱心骨头是
专门为可爱的小
狗准备的,这只粉
红的小狗懒洋洋地
闭着一只眼,期盼
着能得到一顿美
食。

● "贝贝"制作图见本书第127页

红玫瑰

每一幅绣图，只要你用心一点一点去绣，感受绣它时甜蜜而又期盼的感觉，所有的烦恼都随着一针一线慢慢消失，无形之中让你心境平和，久违的宁静将从天而降。

3831	3833	3716	963	819	Blanc	3348
3826	3853	3854	3855	3823	3822	3347
498	349	351	352	353	3852	3345

蝴蝶

310	415	762	3865	3853	740
792	793	349	350	703	704

742	725	727	840	841	842
807	310	415		3853	3776

色彩斑斓的蝴蝶，让你美不胜收！

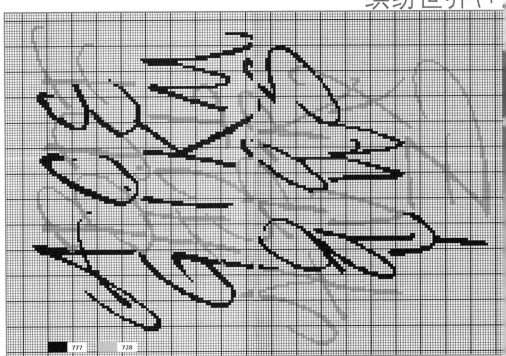

缤纷世界 (2)

这么富有想象力的图片，只是观看就觉得很享受了

十字绣制作图解

可爱狗狗

Add name or phone number if desired

55X56

线标	线号	线标	线号	线标	线号	线标	线号	线标	线号	线标	线号
	938		352		White		776		3325		743
	801		677		White		818		775		745
	666		353		938		819		3756		3823
	3801		746		957		3755		742		

漂亮马

卡通蛇

线标	线号	线标	线号	线标	线号	线标	线号
☰	310	✛	white	☰	703	◪	white
▫	606	■	957	✛	701	◪	310
▪	552	⬛	451	▪	973	◪	703
■	554	■	452	⊙	310	◪	606

小火龙

58X45

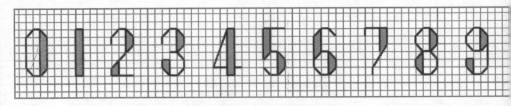

线标	线号	线标	线号	线标	线号	线标	线号
■	310	=	828	F	793	=	606
■	3064	■	3756	=	792	●	310
■	970	+	827	F	white	/	310
■	742	■	794	■	3708	/	white

For Accident-Free
Parking a moment

74 × 42

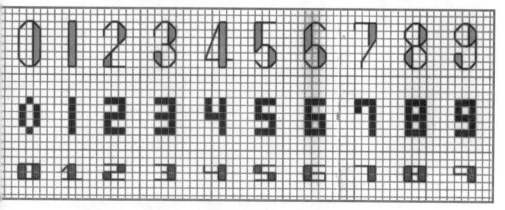

线标	线号	线标	线号	线标	线号	线标	线号
⊞	310	▣	543	⊞	826	⚌	white
■	970	＝	646	■	318	H	791
＝	780	H	2112	H	317	■	894
＝	945	✚	747	H	762	⊙	310
						⊘	310

帅帅虎

58X48

线标	线号	线标	线号	线标	线号	线标	线号
	310		3820		703	●	310
	451	F	3822		701	⧄	310
	918	✛	3823		white	⧄	905
	452		973		606	⧄	white

猪娃娃

Parking a moment

57X46

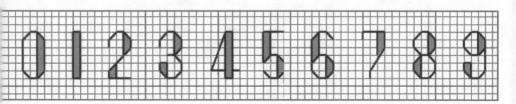

线标	线号	线标	线号	线标	线号	线标	线号
	310		677		996		310
	451		973		white		310
	452		905		892		905
	977		703		3716		white
							963

小和尚

For Accident-Free
Parking a moment

线标	线号	线标	线号	线标	线号	线标	线号	线标	线号
✚	310	F	3770	═	905	F	413	H	335
✚	945	▦	972	✚	928	▦	2113	▦	899
═	781	H	725	▦	927	▣	317		3326
═	951	▣	2112	H	926	▦	white	⊡	310
								◪	310

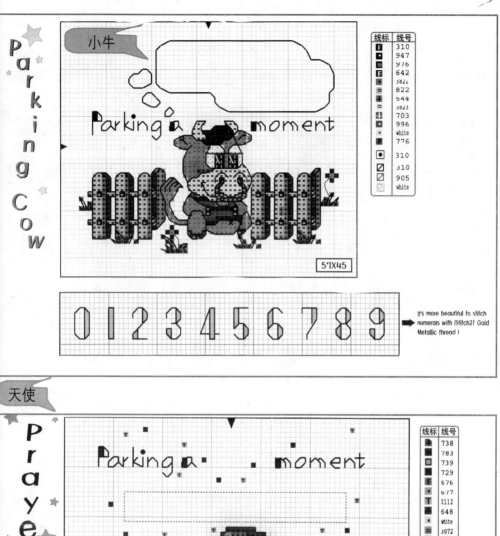

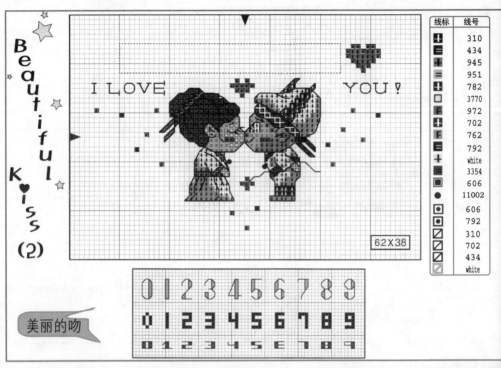

Beautiful Kiss (2)

美丽的吻

I LOVE　　　　　YOU！

62×38

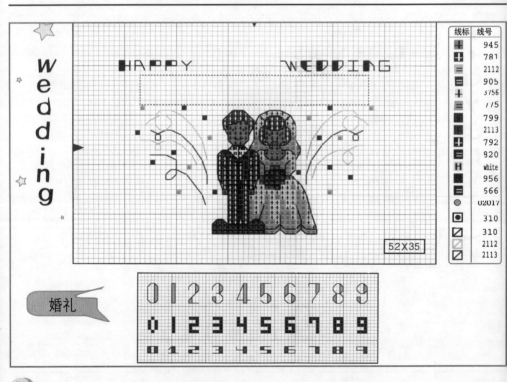

wedding

婚礼

HAPPY　　　WEDDING

52×35

Parking a moment

58X47

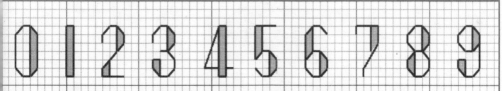

线标	线号	线标	线号	线标	线号	线标	线号
■	310	■	703	■	604	◨	310
F	819	≡	702	≡	963	◨	703
■	740	■	318	■	606	◨	white
■	741	+	white	●	310		

绵羊

小狗

欢乐天使

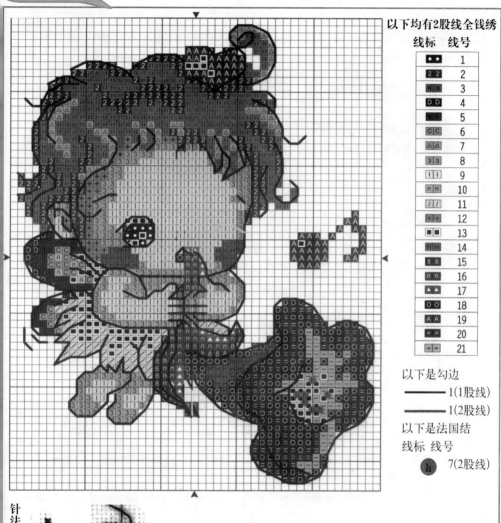

以下均有2股线全钱绣

线标	线号
••	1
2 2	2
я|я	3
D D	4
W|w	5
C C	6
△|△	7
3 3	8
l|l	9
n n	10
/|/	11
+|+	12
■■	13
H|H	14
8.8	15
n n	16
▲|▲	17
O O	18
A A	19
=|=	20
-|-	21

以下是勾边

———— 1(1股线)
———— 1(2股线)

以下是法国结
线标 线号
h 7(2股线)

针法介绍

针针绣　　二分之一

四分之三　　四分之一

法国结　　收尾

注意事项

一、绣线由六股线组成，绣时通常用两股，勾边用一股。

二、绣出的方向要一致，起针时应确定中心点，绣时松紧适度用力均匀。起针或结束时不要打结，应留出一厘米左右的线头在面料背面相互压牢，注意不要使线头纠缠成团。

三、为了勾画轮廓使作品更加鲜明，在绣图完成的最后一步是勾边。

幸福的婚礼

针法介绍

全针绣　　二分之一

四分之三　　四分之一

法国结　　收尾

请根据色块选择绣线，一般用二股线全针绣，一股线勾边

注意事项

一、绣线由六股线组成，绣时通常用两股，勾边用一股。

二、绣出的方向要一致，起针时应确定中心点，绣时松紧适度用力均匀。起针或结束时不要打结，应留出一厘米左右的线头在面料背面相互压牢，注意不要使线头纠缠成团。

三、为了勾画轮廓使作品更加鲜明，在绣图完成的最后一步是勾边。

粉红女郎

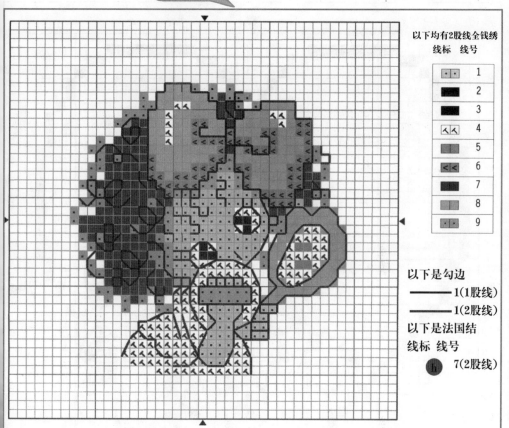

以下均有2股线全钱绣

线标	线号
⊡⊡	1
■	2
■	3
↖↖	4
▨	5
◄◄	6
■	7
▨	8
⊡⊡	9

以下是勾边

———— 1(1股线)
———— 1(2股线)

以下是法国结

线标 线号

🔴 7(2股线)

针法介绍

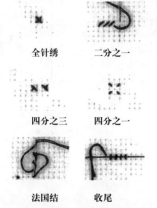

全针绣　　二分之一

四分之三　　四分之一

法国结　　收尾

注意事项

一、绣线由六股线组成，绣时通常用两股，勾边用一股。

二、绣出的方向要一致，起针时应确定中心点，绣时松紧适度用力均匀。起针或结束时不要打结，应留出一厘米左右的线头在面料背面相互压牢，注意不要使线头纠缠成团。

三、为了勾画轮廓使作品更加鲜明，在绣图完成的最后一步是勾边。

天使(男孩)

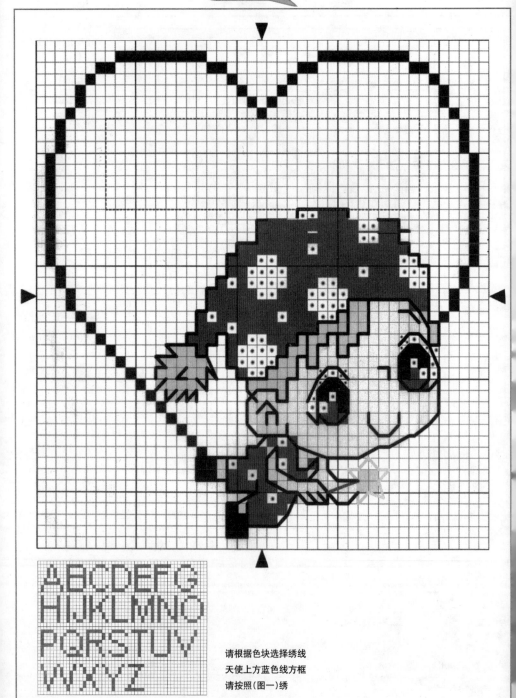

请根据色块选择绣线
天使上方蓝色线方框
请按照(图一)绣

(图)

惊喜

COLORS >>>

- ● 黑色
- ● 孔雀蓝
- ● 薰衣草
- ● 紫罗兰
- ● 海蓝
- ● 湖蓝
- ● 淡黄
- ● 圣诞红
- ● 金丝黄
- ● 鲜肉色
- ○ 纯白

第一个吻

COLORS >>>

- ● 黑色
- ● 孔雀蓝
- ● 薰衣草
- ● 紫罗兰
- ● 海蓝
- ● 湖蓝
- ● 淡黄
- ● 圣诞红
- ● 金丝黄
- ● 鲜肉色
- ○ 纯白

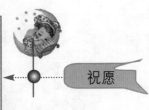

祝愿

w66×H66格（Pane）

COLORS >>>

- ● 黑色
- ● 孔雀蓝
- ● 薰衣草
- ● 紫罗兰
- ● 海蓝
- ● 湖蓝
- ● 淡黄
- ● 圣诞红
- ● 金丝黄
- ● 鲜肉色
- ○ 纯白

享受每一天

中意他

COLORS >>>

●	●	●	●	●	●
黑色	孔雀蓝	海蓝	湖蓝	鲜橙红	深桃红

●	●	●	●	○
粉红	鹦鹉绿	淡绿	金丝黄	纯白

小猪

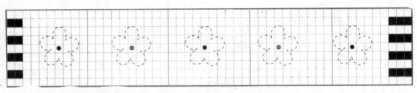

■	4038	2101	4057
●	B2106	B2102	B2108
●	B2107	B2103	B2109

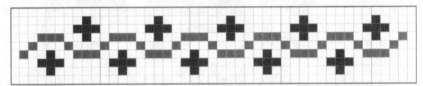

■	4052	4013	4302
■	4057	4012	4018

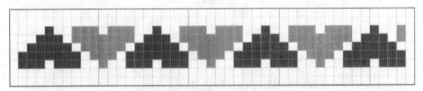

■	2103	2109	2106
■	2107	2104	2107

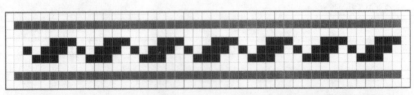

■	4052	2112	2112
■	2109	2109	2105

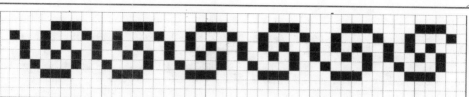

| | | 2106 | | 2109 | | 2105 |

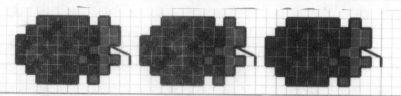

	♛	DOME	COLOR		♛	DOME	COLOR
■	666	130	Xmas red-bright	▨	310	black	Black
■	498	104	Xmas red-dk	◉	310	black	Black
■	703	224	Chartreude				

Backstitch-Use 1 strand-floss
French knot

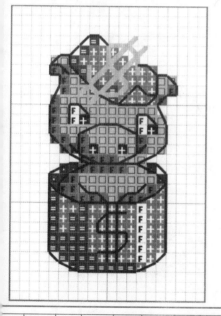

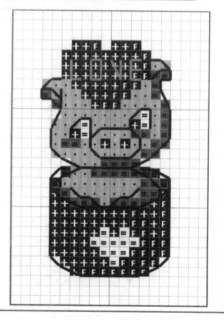

线标	线号	线标	线号	线标	线号	线标	线号
	253		665		102		665
	667		251		130	F	104
	black		black		667		black
F	WHILE		102		BLACK		102
	203		506	=	White		WHITE

85

快乐

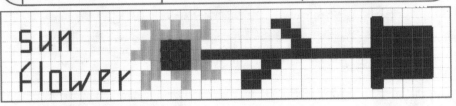

■	2106	2103	4018
■	2107	2107	4013

sun Flower

线标	线号	线标	线号	线标	线号
	522	■	730	☑	730
■	733	■	224		

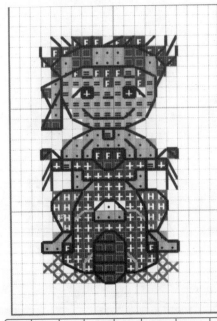
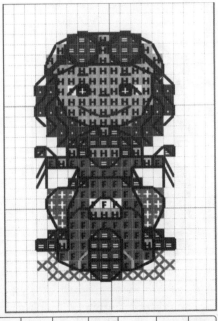

线标	线号	线标	线号	线标	线号	线标	线号	线标	线号	线标	线号	线标	线号
⊞	black	=	758	■	WHITE	⊞	black	☑	521	F	WHITE	☑	513
■	440	■	521	☑	black	▤	440	H	758	F	633	☑	521
F	513	H	253	☑	253	▤	512	H	521	☑	black		
F	764	✚	362	☑	513	■	764	✚	253	☑	253		

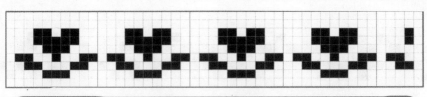

■	2103	4033	2107
■	2109	4057	2106

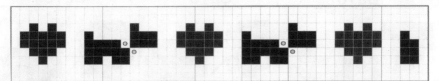

■	4015	2104	2112
○	B2138	2106	2104
■	4251	B2135	B2138

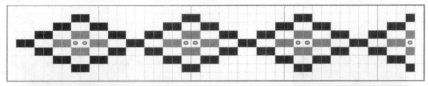

■	2103	2107	4057
■	2102	2106	4052
○	B2138	B2138	B2138

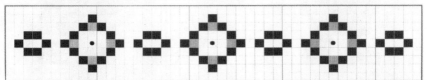

■	2107	2102	4052
■	2106	2103	2109
●	B2135	B21	B2137

求爱

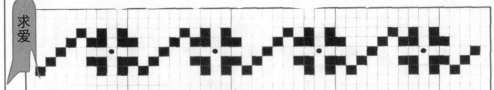

■	**2109**	**2104**	**2106**
●	B2137	B2131	B2134

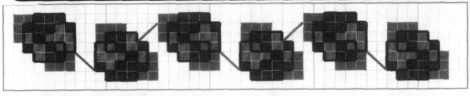

线标	线号	线标	线号	线标	线号
■	170	■	248	▨	248
■	173	■	102	▨	102

线标	线号	线标	线号	线标	线号	线标	线号
⌷	black	✚	WHITE	▬	black	-	white
●	376	▬	162	⌷	103	▦	162
▤	378	■	130	▦	130		white
✚	758	▨	black	▦	758	▨	black

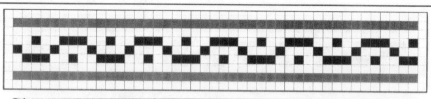

⬜	4052	2103	2107
⬛	4057	2102	2106

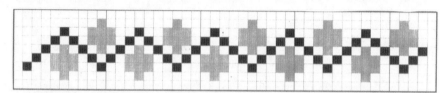

⬜	2107	2104	2102
⬛	2106	2106	2103

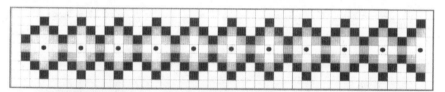

▦	2107	2102	4024
⬛	2106	2103	2112
●	B2135	B2133	B2138

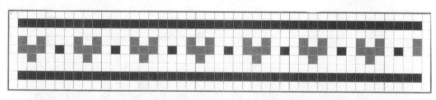

⬜	2103	2104	2105
⬛	2106	2110	2112

■	4057	2103	2106
■	4052	2102	2107

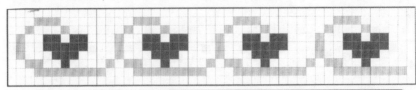

■	4052	2104	2103
■	2112	2109	2112

■	2102	2107	4052
■	2103	2106	4057
●	B2102	B2107	B4052

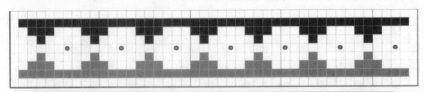

■	2103	4013	2102
■	2105	4012	2104
●	B2103	B2105	B2112

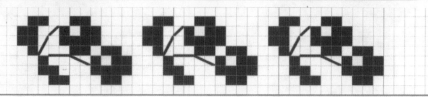

	2104	2103	2107
	2106	2102	2106

☑ 24/
■ 30
WHITE
■ 24/

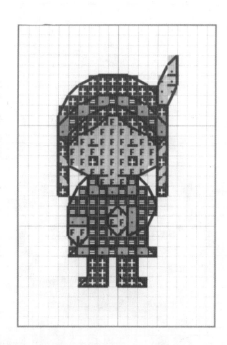

线标	线号	线标	线号	线标	线号	线标	线号
F	707	=	758	+	70/	F	758
●	312	●	black	+	182	+	black
▤	31/	+	259	●	184	☑	black
+	528	☑	black	●	528	☑	528

Kitty

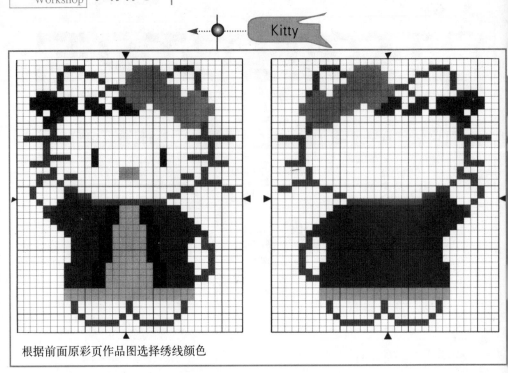

根据前面原彩页作品图选择绣线颜色

小鸡

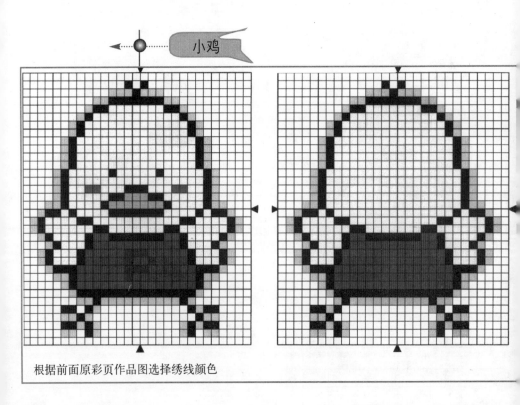

根据前面原彩页作品图选择绣线颜色

鹿

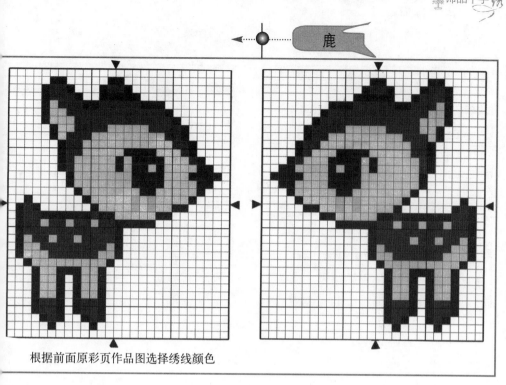

根据前面原彩页作品图选择绣线颜色

小蜜蜂

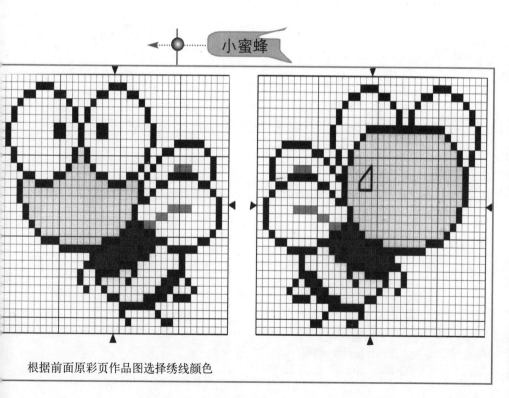

根据前面原彩页作品图选择绣线颜色

小乌龟

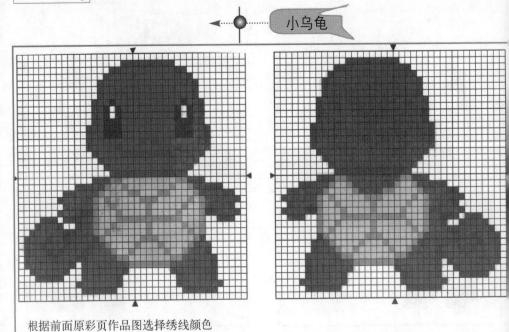

根据前面原彩页作品图选择绣线颜色

甲壳虫

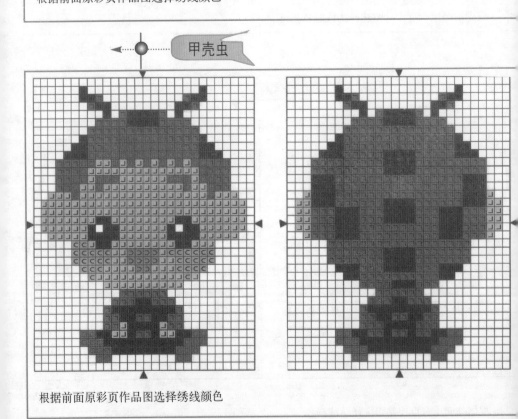

根据前面原彩页作品图选择绣线颜色

流氓兔(1)

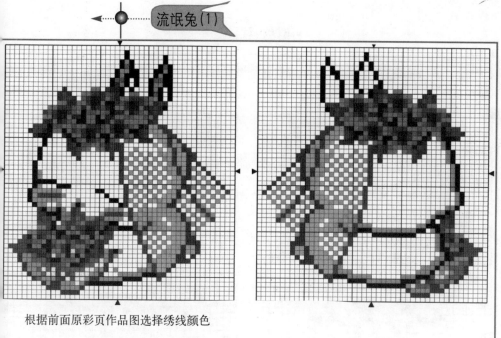

根据前面原彩页作品图选择绣线颜色

小姑娘(1)

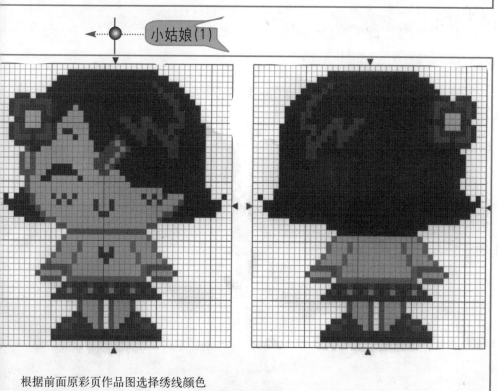

根据前面原彩页作品图选择绣线颜色

小姑娘(2)

根据前面原彩页作品图选择绣线颜色

兔子(1)

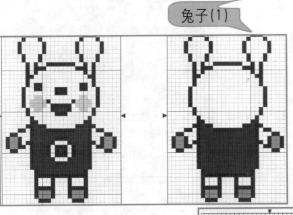

兔子(2)

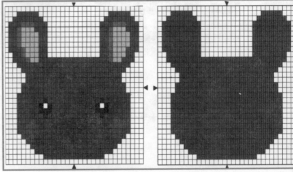

根据前面原彩页作
品图选择绣线颜色

猪

根据前面原彩页作品图选择绣线颜色

流氓兔(2)

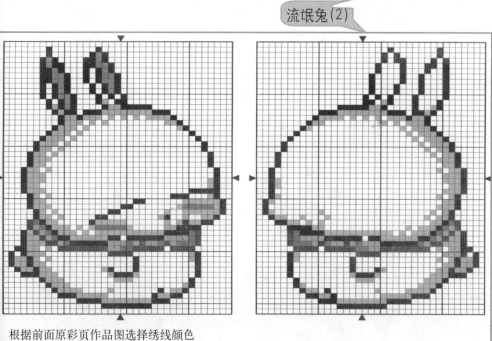

根据前面原彩页作品图选择绣线颜色

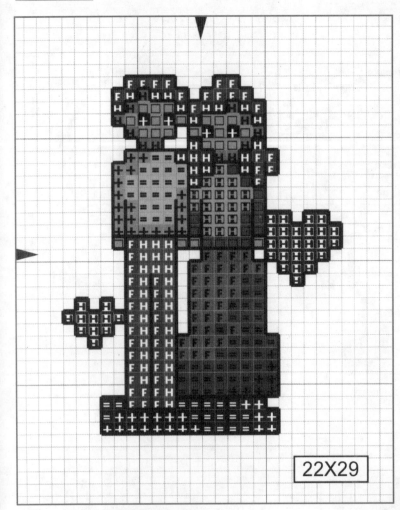

线标	线号
	310
	350
	351
	3340
	3341
	3824
	945
	951
H	782
F	783
	745
=	744
H	907
F	906
	380
+	792
	3326
H	818
H	606
☐	310
☐	433
☐	895
☐	815

22X29

白头到老

白头到老

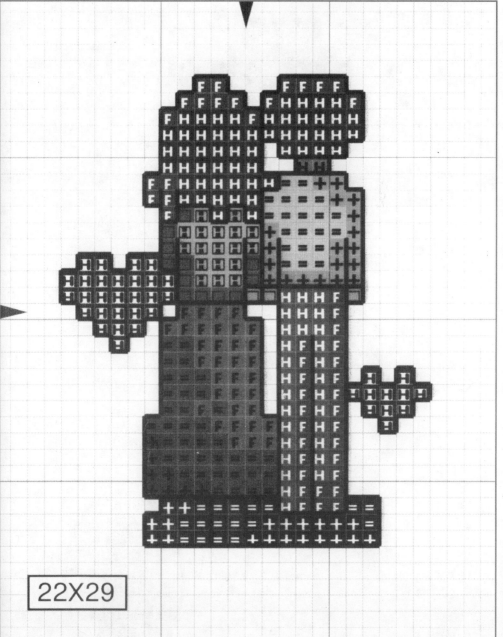

22X29

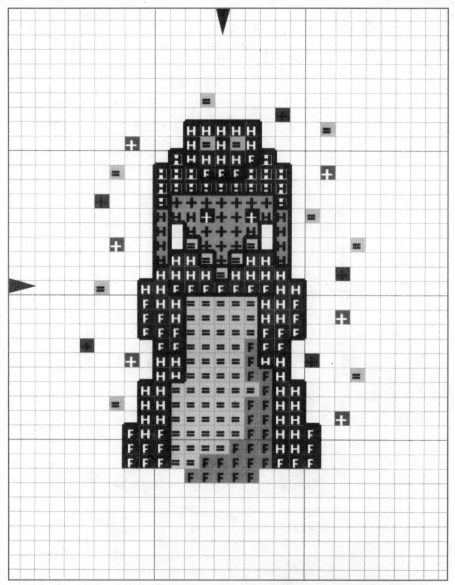

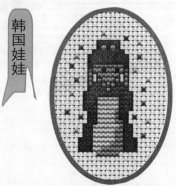

韩国娃娃

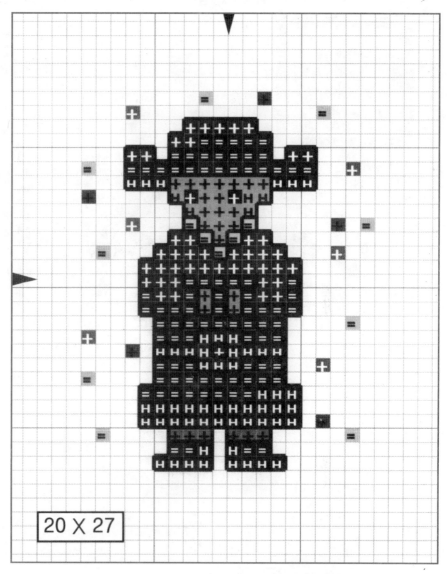

20 X 27

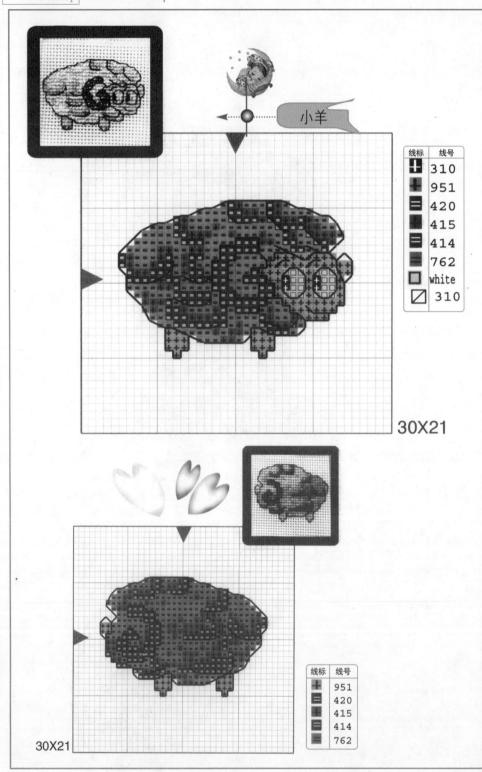

小羊

线标	线号
✚	310
✚	951
≡	420
▦	415
≡	414
▬	762
□	white
◩	310

30X21

线标	线号
✚	951
≡	420
▦	415
≡	414
▬	762

30X21

饰品十字绣

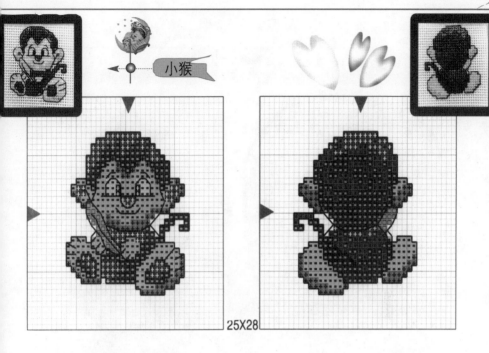

小猴

25X28

线标	线号	线标	线号
✚	310	═	745	◩ 310
▦	869	▩	973	
✚	3828	═	white	
✚	676	◩	310	

金牛

23X23

24X25

金牛

27 × 29

线标	线号	线标	线号	线标	线号	线标	线号	线标	线号
	310		783		3761		white		
	945	H	444		813		894		
	780	—	746			⊙	310		
=	951	F	307			⧄	310		

双鱼

28×28

线标	线号	线标	线号	线标	线号	线标	线号
⬛	310	H	444	✚	826	◉	310
✚	945	☐	307	☐	white	⟋	310
=	951	⬛	813	⬛	894		

双鱼

童年畅想

COLORS >>>

鲜肉色　金丝黄　鲜橙红　圣诞红　金褐色　黑色　纯白

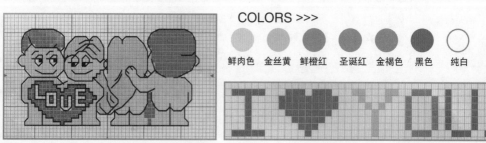

第一次约会

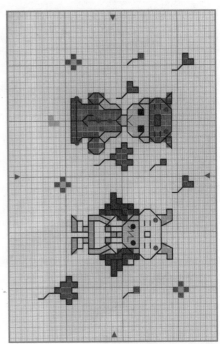

COLORS >>>

鲜肉色　金丝黄　鲜橙红　圣诞红　金褐色　褐色　黑色　　纯白

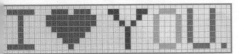

甜蜜

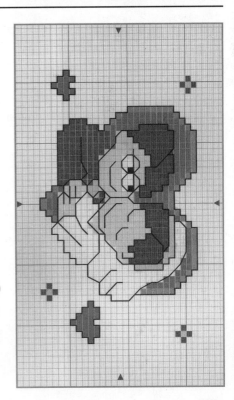

COLORS >>>

黑色　鲜橙红　深桃红　金丝黄　深肉色　鲜肉色　粉红　　纯白

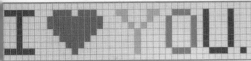

COLORS >>>

- 黑色
- 孔雀蓝
- 薰衣草
- 紫罗兰
- 海蓝
- 湖蓝
- 淡黄
- 圣诞红
- 金丝黄
- 鲜肉色
- ○ 纯白

幻想

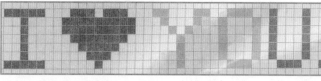

雨中情

COLORS >>>

- 黑色
- 孔雀蓝
- 天蓝
- 褐色
- 圣诞红
- 鲜橙红
- 金丝黄
- 深肉色
- 鲜肉色
- ○ 纯白

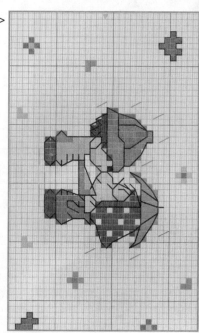

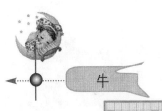

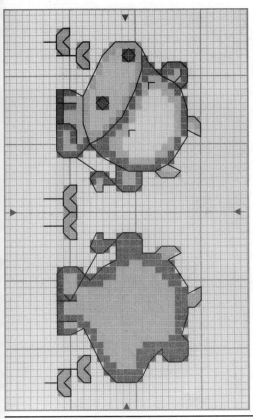

COLORS >>>

- ● 黑色
- ● 褐色
- ● 金褐色
- ● 金丝黄
- ● 鹅黄
- ● 深肉色
- ● 鲜肉色
- ● 鹦鹉绿

牛

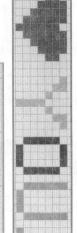

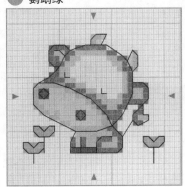

虎(1)

COLORS >>>

- ● 鹅黄
- ● 淡绿
- ● 银灰
- ● 鹦鹉绿
- ● 鲜肉色
- ● 深肉色
- ● 深桃红
- ● 金丝黄
- ● 鲜橙红
- ● 金褐色
- ● 黑色

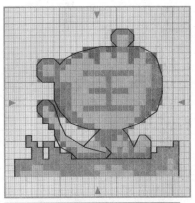

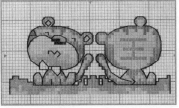

龙(1)

COLORS >>>

- 黑色
- 薰衣草
- 紫罗兰
- 圣诞红
- 深桃红
- 淡黄
- 鹦鹉绿
- 淡绿
- 鹅黄
- 纯白

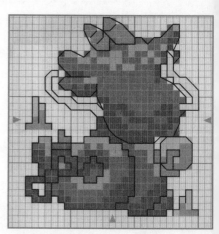

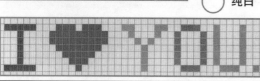

蛇
(1)

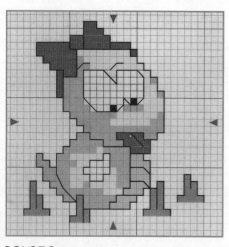

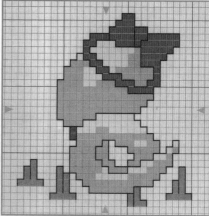

COLORS >>>

黑色　圣诞红　金丝黄　鹅黄　鹦鹉绿　淡绿　纯白

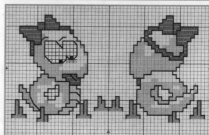

COLORS >>>

● 黑色

● 薰衣草

● 紫罗兰

● 玫瑰深红

● 深桃红

● 粉红

● 鹦鹉绿

● 鲜肉色

○ 纯白

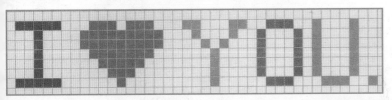

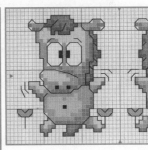

马

COLORS >>>

● 黑色
● 孔雀蓝
● 海蓝
● 湖蓝
● 鲜橙红
● 深桃红
● 粉红
● 鹦鹉绿
● 淡绿
● 金丝黄
○ 纯白

羊

COLORS >>>

- 黑色
- 褐色
- 金褐色
- 圣诞红
- 深桃红
- 金丝黄
- 鹦鹉绿
- 深肉色
- 鲜肉色

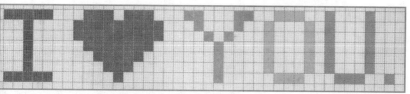

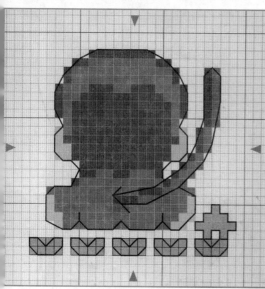

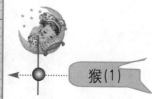

猴(1)

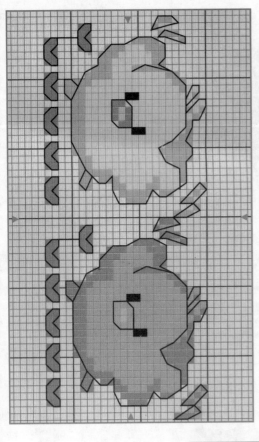

小挂镜绣法标示

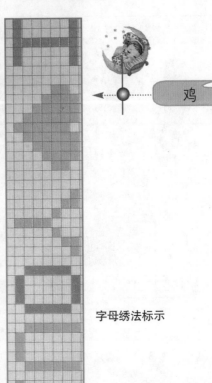

鸡

字母绣法标示

匙扣小口古口臣绣法标示

COLORS >>>

- ● 黑色
- ● 鹦鹉绿
- ● 深桃红
- ● 粉红
- ● 金丝黄
- ● 鲜肉色
- ● 鹅黄

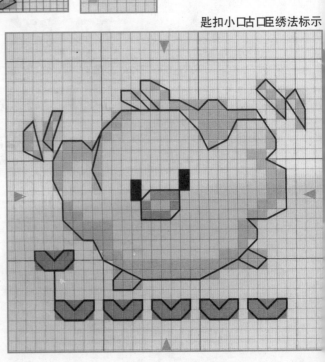

射手座

匙扣小口古口臣绣法标示

小挂镜绣法标示

SAGITTARIUS
11.23—12.21

COLORS >>>

⬤ 黑色

⬤ 鲜橙红

⬤ 鹦鹉绿

⬤ 金丝黄

⬤ 玫瑰深红

⬤ 深桃红

⬤ 深肉色

⬤ 鲜肉色

◯ 纯白

字母绣法标示

双鱼座

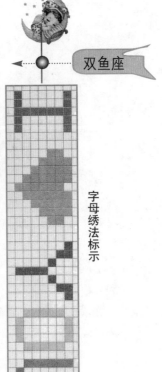

字母绣法标示

小挂镜绣法标示

匙扣小口古口臣绣法标示

COLORS >>>

- ● 黑色
- ● 薰衣草
- ● 深桃红
- ● 鲜橙红
- ● 金丝黄
- ● 紫罗兰
- ● 深肉色
- ● 鲜肉色
- ○ 纯白

狮子座

匙扣小口舌口臣绣法标示

小挂镜绣法标示

COLORS >>>

- ⬤ 黑色
- ⬤ 金褐色
- ⬤ 鲜橙红
- ⬤ 深桃红
- ⬤ 银灰
- ⬤ 金丝黄
- ⬤ 鹦鹉绿
- ⬤ 天蓝
- ⬤ 深肉色
- ⬤ 鲜肉色
- ◯ 纯白

字母绣法标示

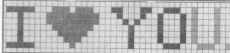

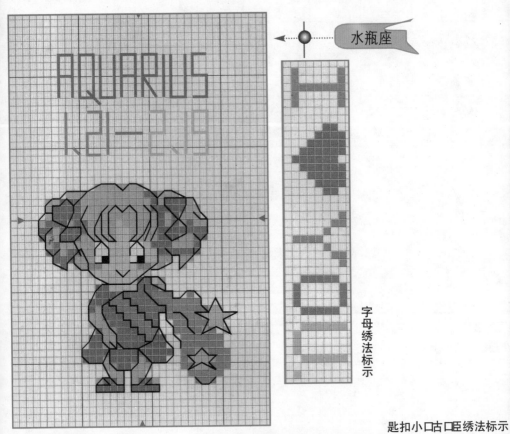

水瓶座

字母绣法标示

小挂镜绣法标示

匙扣小口古口臣绣法标示

COLORS >>>

- ⬤ 黑色
- ⬤ 银灰
- ⬤ 孔雀蓝
- ⬤ 天蓝
- ⬤ 海蓝
- ⬤ 深桃红
- ⬤ 深肉色
- ⬤ 鲜肉色
- ⬤ 鲜橙红
- ⬤ 金丝黄
- ◯ 纯白

天秤座

匙扣小口舌口臣绣法标示

小挂镜绣法标示

COLORS >>>

- ● 黑色
- ● 银灰
- ● 孔雀蓝
- ● 淡紫
- ● 深桃红
- ● 深肉色
- ● 鲜肉色
- ● 圣诞红
- ● 鲜橙红
- ● 金丝黄
- ○ 纯白

字母绣法标示

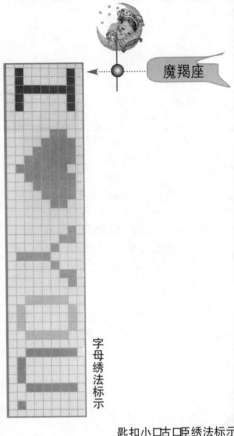

魔羯座

字母绣法标示

匙扣小口古口臣绣法标示

小挂镜绣法标示

COLORS >>>

- 黑色
- 银灰
- 孔雀蓝
- 天蓝
- 海蓝
- 深桃红
- 深肉色
- 鲜肉色
- 鲜橙红
- 金丝黄
- 纯白

白羊座

COLORS >>>

- 黑色
- 银灰
- 孔雀蓝
- 淡紫
- 深桃红
- 深肉色
- 鲜肉色
- 圣诞红
- 鲜橙红
- 金丝黄
- 纯白

COLORS >>>

- ● 黑色
- ● 深桃红
- ● 深肉色
- ● 鲜肉色
- ● 鲜橙红
- ● 金丝黄
- ● 海蓝
- ● 天蓝
- ○ 纯白

双子座

巨蟹座

CANCER
6.22—7.23

COLORS >>>

- 黑色
- 孔雀蓝
- 海蓝
- 天蓝
- 深桃红
- 深肉色
- 鲜肉色
- 鲜橙红
- 纯白

处女座

COLORS >>>

黑色　鲜橙红　深桃红　金丝黄　深肉色　鲜肉色　粉红　纯白

天蝎座

COLORS >>>

黑色　金丝黄　湖蓝　天蓝　鲜橙红　深桃红　深肉色　鲜肉色　纯白

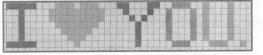

金牛座

COLORS >>>

黑色 褐色 褐金色 孔雀蓝 海蓝 鲜橙红 金丝黄 深桃红 深肉色 鲜肉色 纯白

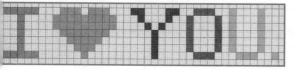

印第安

色块中的符号是用
来区别相近颜色的
差异，选择用线时
请注意辨认！

◀···· 新郎新娘

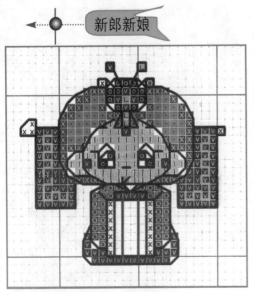

根据前面原彩页作品图选择绣线颜色

色块中的符号是用来区别相近颜色的差异，
选择用线时请注意辨认！

◀···· 爱

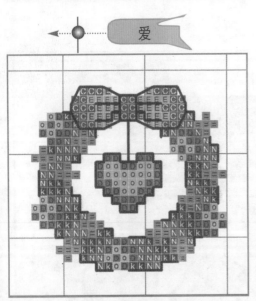

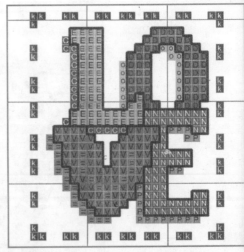

根据前面原彩页作品图选择绣线颜色

色块中的符号是用来区别相近颜色的差异，
选择用线时请注意辨认！

贝贝

根据前面原彩页作品图选择绣线颜色

龙(2)

根据前面原彩页作品图选择绣线颜色

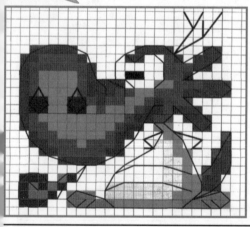

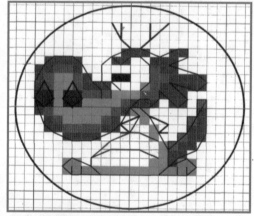

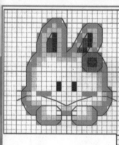

兔

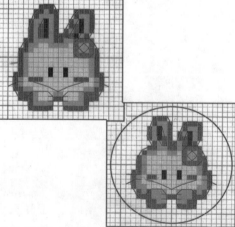

根据前面原彩页作品图选择绣线颜色

虎(2)

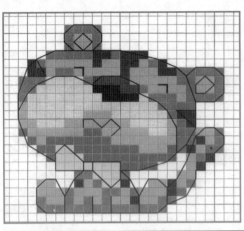
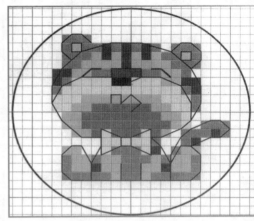

猴(2)

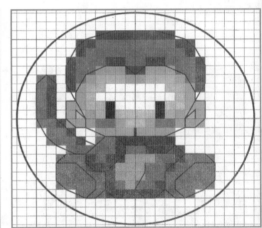

蛇(2)

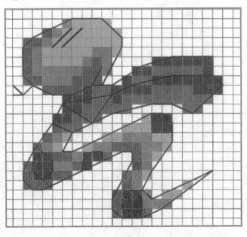
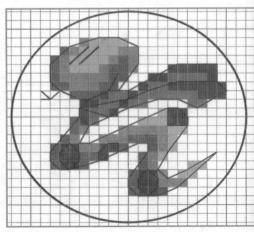